LE SOURICEAU DU MÉTRO

D1305030

Les illustrations de ce livre ont été créées à partir de pâte à modeler, façonnée et pressée sur un carton à dessin.
De la peinture acrylique, des objets trouvés et d'autres matériaux ont été utilisés pour ajouter des effets spéciaux.

Photographie : Ian Crysler

Le texte a été composé en caractères Gararond Medium de 20 points.

Catalogage avant publication de la Bibliothèque nationale du Canada

Reid, Barbara, 1957-
[Subway mouse. Français]
Le souriceau du métro / Barbara Reid ; texte français d'Hélène Rioux.

Traduction de: Subway mouse.
Pour enfants.
ISBN 0-439-97469-0

I. Rioux, Hélène, 1949- II. Titre.

PS8585.E4484S8214 2003   jC813'.54   C2003-901423-1
                                PZ26.3

Édition publiée par les Éditions Scholastic, 175 Hillmount Road, Markham (Ontario) L6C 1Z7 CANADA.

6 5 4 3 2   Imprimé au Canada   04 05 06 07

LE SOURICEAU DU MÉTRO

Barbara Reid

Texte français d'Hélène Rioux

Les éditions Scholastic

Pour maman, avec tout mon amour
— B.R.

Voici Nico, un souriceau du métro.

Il est né dans une grande famille qui habite sous les plates-formes d'une station de métro achalandée.

Les souris appellent leur refuge Pluie de douceurs.

Quand le métro gronde au-dessus de leur tête, les souris adultes partent en quête de nourriture. Quand le métro prend son repos, elles rentrent à la maison.

Là, une fois que tout est calme, les vieilles souris racontent des histoires. Des histoires sur le Bout du Tunnel, un monde ouvert et dangereux, rempli de monstres croqueurs de souris. Le Bout du Tunnel a aussi son charme. L'air y est doux, et une souris courageuse peut y trouver les mets les plus savoureux, les nids les plus moelleux. L'heure des histoires est le moment de la journée que Nico préfère.

Quand il atteint l'âge d'aller chercher lui-même sa nourriture, Nico explore la station de métro. Il trouve des choses bizarres, d'autres, très belles, et d'autres encore qui lui rappellent ses histoires préférées. Il commence à rapporter ses trouvailles à la maison.

— Tes vieilleries prennent toute
la place, se plaignent les mamans.
Nos bébés n'ont plus d'espace!
— Vos bébés, ils grignotent
mon trésor! réplique Nico.
Puis il a une idée.

Il trouve un coin tranquille et s'y installe bien confortablement.
Nico aime rentrer chez lui, se laver, puis s'endormir au milieu
de ses trésors multicolores.

8

Dans ses rêves, il va jusqu'au Bout du Tunnel.

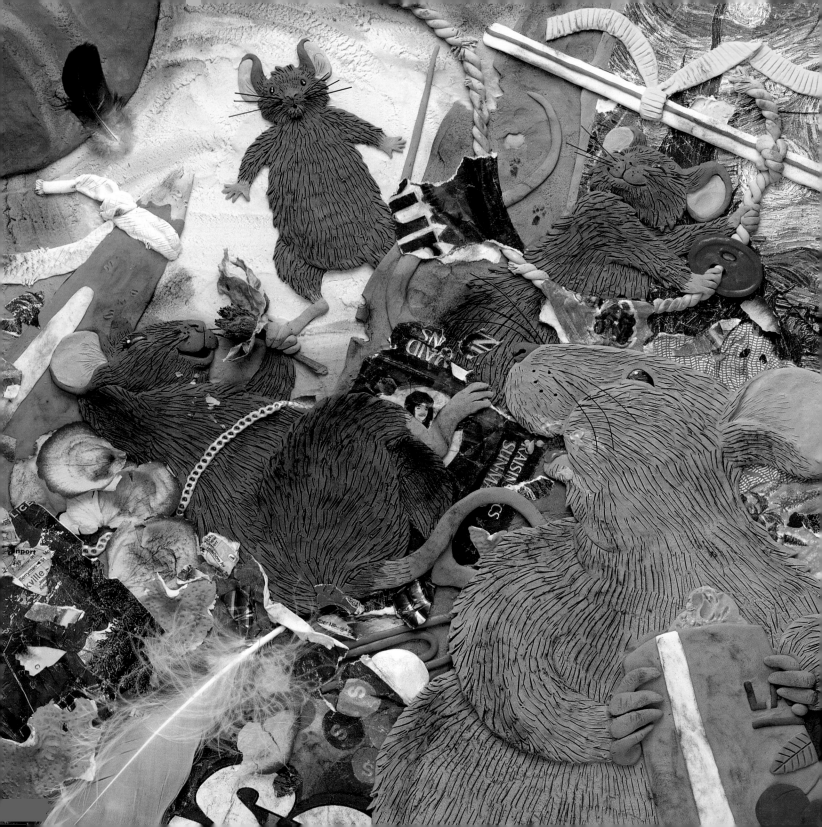

Un soir, Nico rentre chez lui et trouve tout sens dessus dessous.
— Sympathique, chez toi, dit son cousin Caramel.
— Pas très grand, mais nous l'avons arrangé, ajoute Griffu.
— T'as quelque chose à manger? demande Patapouf.
Puis ils se couchent, et Patapouf ronfle toute la nuit.

Le vacarme du premier métro du matin réveille les cousins.
Ils se grattent, s'étirent, puis s'en vont.
— À plus tard, Nico! dit Caramel. Ce soir, nous ramènerons
Puant et Barbouillé!

Dans un nuage de poussière, un métro entre en trombe dans la station. Ses freins grincent. « Encore une journée bruyante, songe Nico. Encore une journée sale, grise et ennuyeuse. »

Le métro sort de la station en sifflant. Dans la rafale, le nid de Nico vole en mille morceaux.

Une minuscule plume tourbillonne dans l'air avant de disparaître dans le tunnel.

Nico a une autre idée. Il s'élance à la suite de ses cousins.

— Adieu! leur crie-t-il en les dépassant. Je vous donne ma maison.
Je m'en vais au Bout du Tunnel.

— Tu vas mourir de faim! bafouille Patapouf.

— Tu vas te faire bouffer tout cru! crie Griffu de sa petite voix aiguë.

— Le Bout du Tunnel? C'est juste une histoire de grand-mère souris!
dit Caramel en ricanant.

Leurs rires sont noyés dans le tintamarre du métro suivant.

Nico compte cinq métros avant de regarder en arrière. Jamais il ne s'est
trouvé aussi loin de chez lui.

Le tunnel est très long. Le soir venu, Nico
se blottit dans une fissure pour dormir.
Il se réveille raide et endolori.
     Trottinant dans le tunnel, il s'efforce
d'oublier qu'il a faim.
     Plus loin, le tunnel semble éclairé.
Nico accélère le pas. Si c'était
le Bout du Tunnel?

Parvenu à la lumière, Nico cligne des yeux. Est-il revenu chez lui?

— Qui es-tu?

Nico sursaute. Il voit alors une souris qu'il ne connaît pas.

— Je m'appelle Nico. Je viens de Pluie de douceurs, répond-il en pointant une patte vers l'arrière.

— Jamais entendu parler de cet endroit, dit l'autre souris. Moi, je m'appelle Lola. Ici, c'est Coulée de miel.

— Je vais au Bout du Tunnel, reprend Nico en pointant devant.

— Peuh! C'est juste une histoire de grand-mère souris! se moque Lola.

— En tout cas, tu en as entendu parler, dit Nico.

Un métro passe.

— Je devrais peut-être t'accompagner, dit Lola.

— Peut-être, répond Nico qui se met à marcher le long de la voie.

— Attends! dit Lola en attrapant un papier gras qui flotte dans l'air. On ne part pas en voyage le ventre vide.

Après avoir léché le papier, ils partent ensemble et entrent dans le tunnel suivant.

Plusieurs métros plus tard, les souris arrivent dans une nouvelle station. Nico voit un bonbon sur le sol et fonce pour le ramasser.

— Lâche ça!

Une grosse souris leur bloque le chemin. Deux autres, tout aussi menaçantes, apparaissent derrière elle.

— Sauvons-nous! hurle Lola.

Ils s'échappent de la station en courant à perdre haleine,
la bande de voyous à leurs trousses. Ils sont déjà loin dans le tunnel
quand les cris « Au voleur! » cessent enfin.

Nico a toujours le bonbon.

Mais ils ne peuvent plus retourner en arrière.

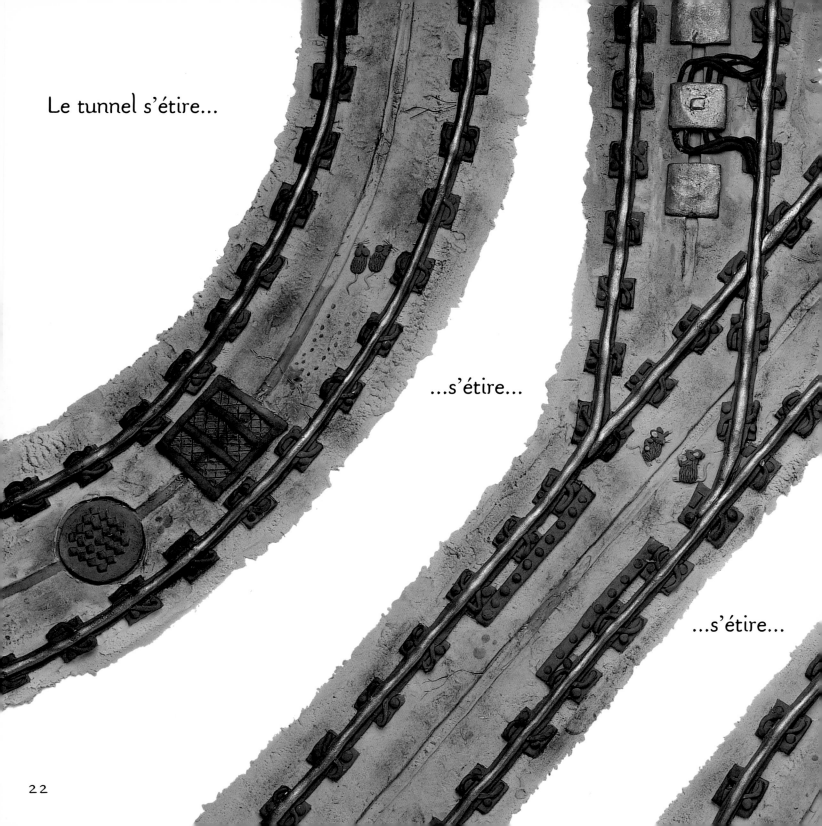

Le tunnel s'étire...

...s'étire...

...s'étire...

22

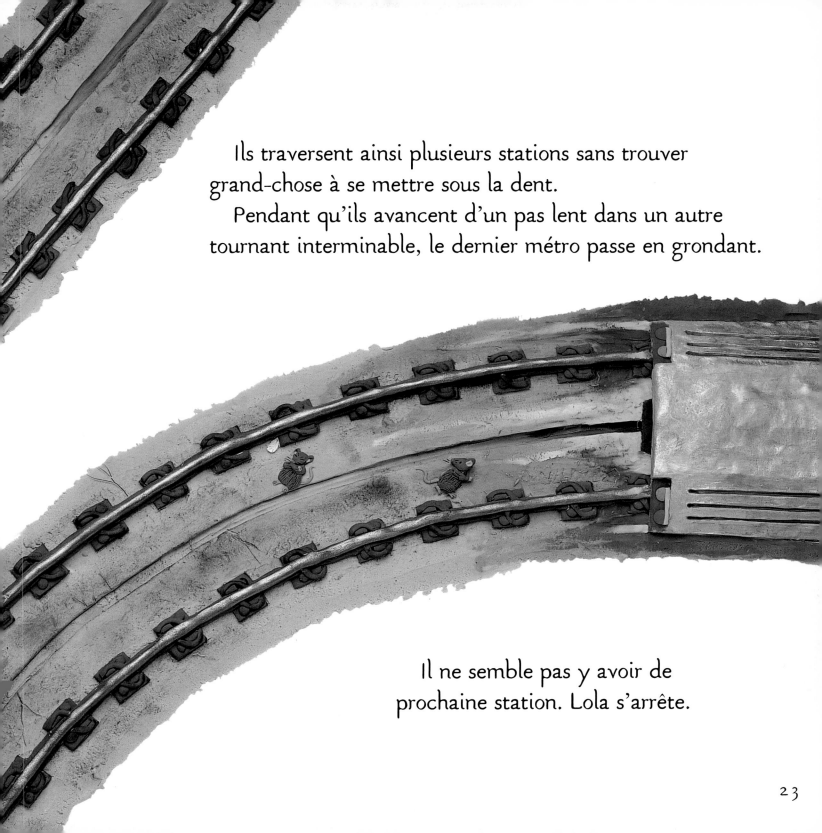

Ils traversent ainsi plusieurs stations sans trouver grand-chose à se mettre sous la dent.

Pendant qu'ils avancent d'un pas lent dans un autre tournant interminable, le dernier métro passe en grondant.

Il ne semble pas y avoir de prochaine station. Lola s'arrête.

— Je n'ai plus que la peau et les os. J'ai faim, j'ai soif et j'ai besoin de me reposer dans un nid confortable. J'abandonne.

— Il n'y a rien ici, répond Nico. Nous devons continuer.

— Pas moi, dit Lola. Je m'installe ici.

Elle ramasse une plume sous le rail. Nico la reconnaît.

— Hé! C'est à moi!

Nico veut l'arracher à Lola.

— Qui trouve garde! dit-elle.

Et elle s'assoit dessus.

Une petite note de musique résonne au loin dans le tunnel. Les poils de Nico se hérissent sur son dos. Qu'est-ce que c'est?

Lola écarquille les yeux.

Le gazouillis se fait de nouveau entendre et ils partent dans cette direction.

Ils tournent un coin, et une brise légère souffle sur leurs moustaches.

— Mmmm, soupire Lola. C'est agréable.

Les deux souris entendent d'autres voix. Le tunnel s'élargit. Au bout, une douce lumière brille.

— Le Bout du Tunnel! murmure Nico.

— Viens!

Lola plonge dans la forêt d'herbe tendre. Nico court à sa suite.
Ils galopent tous deux jusqu'au sommet de la colline où ils se régalent
de graines, boivent la rosée et dansent au clair de lune.

Ils dorment jusqu'à l'arrivée des premiers trains du matin.

Le Bout du Tunnel est bien plus dangereux que Nico ne l'imaginait.

Il est aussi beaucoup plus beau que dans ses rêves.

Lola prépare leur maison.

Quelques semaines plus tard, pendant que Lola borde leurs souriceaux dans le nid douillet, Nico leur raconte des histoires sur le métro.

C'est le moment de la journée que les petits préfèrent.

Fin